The Daily Telegraph
Sudoku

Also available in Pan Books

The *Daily Telegraph* Giant General Knowledge Crossword Book 1-4

The *Daily Telegraph* Quick Crossword Book 6 – 39

The *Daily Telegraph* Cryptic Crossword Book 17 – 53

The *Daily Telegraph* Big Book of Cryptic Crosswords 1 – 13

The *Daily Telegraph* Big Book of Quick Crosswords 1 – 13

The *Daily Telegraph* How to Crack the Cryptic Crossword

The *Daily Telegraph* Cryptic Crossword: A New Dimension

The *Daily Telegraph* Book of Word Games & Puzzles

The *Daily Telegraph* Millennium Crossword Book

The *Sunday Telegraph* Book of Griddlers 1 – 6

The *Sunday Telegraph* Cryptic Crossword Book 1 – 11

The *Sunday Telegraph* Quick Crossword Book 1 – 11

The *Sunday Telegraph* General Knowledge Crossword Book 1-4

And in Macmillan

The *Daily Telegraph* 80 Years of Cryptic Crosswords

The Daily Telegraph

Sudoku

Compiled by Michael Mepham

PAN BOOKS

In association with *The Daily Telegraph*

First published 2005 by Pan Books
an imprint of Pan Macmillan Ltd
Pan Macmillan, 20 New Wharf Road, London N1 9RR
Basingstoke and Oxford

Associated companies throughout the world

www.panmacmillan.com

In association with *The Daily Telegraph*

ISBN 0330 44145 0

9 8 7 6 5

A CIP catalogue record for this book is available from
the British Library.

Printed and bound in Great Britain by Mackays of Chatham plc,
Chatham, Kent.

Contents

Solving sudoku

    What is sudoku?   vii

    The challenge   vii

    About guessing   viii

    Making a start   viii

    The search for the lone number   x

    Twins   xi

    Triplets   xii

    Eliminate the extraneous   xii

    Stepping up the sudoku action   xiii

    The next stage   xiv

    Ariadne's thread   xv

    Tough sudokus   xvi

    Looking at a diabolical puzzle   xvi

    Truly diabolical sudokus   xviii

    The last word   xix

    Acknowledgements   xx

The Puzzles

    Gentle   1

    Moderate   33

    Tough   99

    Diabolical   121

The Solutions

Sudoku worksheets

Solution to the sudoku on the cover

1	6	8	9	5	4	7	2	3
4	9	3	7	8	2	1	5	6
2	7	5	3	1	6	9	4	8
6	1	7	8	2	3	5	9	4
3	5	4	1	6	9	2	8	7
9	8	2	4	7	5	6	3	1
8	3	6	5	9	1	4	7	2
5	4	1	2	3	7	8	6	9
7	2	9	6	4	8	3	1	5

Solving Sudoku

What is sudoku?

You would imagine that with such a name this puzzle originated in Japan, but it has been around for many years in the UK. However, the Japanese found an example under the title 'Number Place' in an American magazine and translated it as something quite different: su meaning number; doku which translates as single or bachelor. It immediately caught on in Japan, where number puzzles are much more prevalent than word puzzles. Crosswords don't work well in the Japanese language.

The sudoku puzzle reached craze status in Japan in 2004 and the craze spread to the UK through the puzzle pages of national newspapers. *The Daily Telegraph* uses the name Sudoku, but you may see it called su doku elsewhere. However, there is no doubt that the word has been adopted into modern parlance, much like 'crossword'.

Sudoku is not a mathematical or arithmetical puzzle. It works just as well if the numbers are substituted with letters or some other symbols, but numbers work best.

			8	3	4			
3				4	8	2	1	
7								
	9	4		1			8	3
4	6		5		7	1		
								7
1	2	5	3					9
		7	2	4				

The challenge

Here is an unsolved sudoku puzzle. It consists of a 9x9 grid that has been subdivided into 9 smaller grids of 3x3 squares. Each puzzle has a logical and unique solution. **To solve the puzzle, each row, column and box must contain each of the numbers 1 to 9.**

Throughout this book I refer to the whole puzzle as the **grid**, a small 3x3 grid as a **box** and the cell that contains the number as a **square**.

Rows and columns are referred to with row number first, followed by the column number: 4,5 is row 4, column 5; 2,8 is row 2, column 8. Boxes are numbered 1–9 in reading order, i.e. 123, 456, 789.

About guessing

Try not to. Until you have progressed to the tough and diabolical puzzles, guessing is not only totally unnecessary, but will lead you up paths that can make the puzzle virtually unsolvable. Simple logic is all that is required for gentle and moderate puzzles. Of the 132 puzzles in this book only the last 34 will require deep analysis, and that is dealt with later on in this introduction.

Making a start

1

Logic will go a long way to solving most sudokus. Ask yourself questions like: 'if a 1 is in this box, will it go in this column?' or 'if a 9 is already in this row, can a 9 go in this square?'

To make a start, look at each of the boxes and see which squares are empty, at the same time checking that square's column and row for a missing number.

In this example, look at box 9. There is no 8 in the box, but there is an 8 in column 7 and in column 8. The only place for an 8 is in column 9, and in this box the only square available is in row 9. So put an 8 in that square. **You have solved your first number**.

2

Continuing to think about 8, there is no 8 in box 1, but you can see an 8 in rows 1 and 2. So, in box 1, an 8 can only go in row 3, but there are 2 squares available. Make a note of this by pencilling in a small 8 in both squares. Later, when we have found the position of the 8 in boxes 4 or 7 we will be able to disprove one of our 8s in box 1.

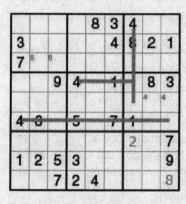

3

We were looking at box 9. As you can see, there is a 2 in boxes 7 and 8, but none in box 9. The 2s in row 8 and row 9 mean the only place for a 2 in box 9 appears to be in row 7, and as there is already a 2 in column 8, there is only one square left in that box for a 2 to go. You can enter the 2 for box 9 at 7,7.

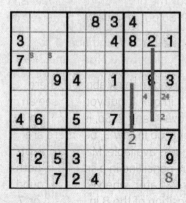

4

There is a similar situation with the 4s in boxes 4 and 5, but here the outcome is not so definite. Together with the 4 in column 7 these 4s eliminate all the available squares in box 6 apart from two. Pencil a small 4 in these two squares. Later on, one or other of your pencil marks will be proved or disproved.

5

Having proved the 2 in box 9 earlier, check to see if this helps you to solve anything else. For example, the 2 in box 3 shows where the 2 should go in box 6: it can only go in column 9, where there are two available squares. As we have not yet proved the position of the 4, one of the squares may be either a 4 or a 2.

6

Now solve a number on your own. Look at box 8 and see where the number 7 should go.

Continue to solve the more obvious numbers. There will come a point when you will need to change your strategy. What follows will provide you with some schemes to solve the complete sudoku.

The search for the lone number

In this book I call an easy sudoku puzzle 'gentle'. This indicates a level of complexity that can be tackled by beginners and casual sudoku solvers. However, no matter what level of puzzle you are attempting, there are a few strategies that will allow you to get to a solution more quickly.

The key strategy is to look for the lone number. In this example, all the options for box 5 have been pencilled in. There appear to be many places for the number 1 to go, but look between the 8 and 3 – there is a lone number 1. It was not otherwise obvious that the only square for the number 1 was row 6, column 5, as there is no number 1 in the immediate vicinity. Checking the adjacent boxes and relevant row and column would not provide an immediate answer either – but no other number can go in that box.

While our example uses pencil marks

to illustrate the rule, more experienced solvers are quite capable of doing this in their head.

Remember that this principal is true for boxes, rows and columns: if there is only one place for a number to go, then it is true for that box, and also the row and column it is in. You can eliminate all the other pencilled 1s in the box, row and column.

5	4			9			7	2
2	7	9			3	6		4
9		8	7		4			
1	9	4	8			7		
7				5		4		9
		4	7	9	2			1
4			6			3		
		2	9	3			4	7
3	1			4				6

Twins

Why use one when two can do the job just as well? In sudoku we can easily become blind to the obvious. You might look at a box and think there is no way of proving a number because it could go in more than one square, but there are times when the answer is staring you right in the face. Take the sudoku opposite. It's an example of a gentle puzzle. The solver has made a good start at finding the more obvious numbers, but having just solved the 9 in box 4 she's looking at the 9s in box 1. It seems impossible to solve, with just a 9 in row 1 and another in column 2 that immediately affect box 1.

5	4			9			7	2
2	7				3	6		4
9		8	7		4			
1	9	4	8			7		
7				5		4		9
		4	7	9	2			1
4		9	6			3		
		2	9	3			4	7
3	1	9		4				6

But look more carefully and you'll see that the 9 in row 8 precludes any 9 in row 8 of box 7. In addition, the 9 in column 2 eliminates the square to the right of the 4 in that box, leaving just the two squares above and below the 2 in box 7 available for the 9. **You've found a twin!**

Pencil in these 9s. While you don't know which of these two will end up as 9 in this box, what you do know is that the 9 has to be in column 3. Therefore a 9 cannot go in column 3 of box 1, leaving it the one available square in column 1.

		4	6					
						3	8	6
3				9	7			2
	1			8	9		7	
9								1
	5		3	7			2	
6			8	4				7
2	8	1						
				5	2			

Triplets

In the previous example, our solver's twins did just as well as a solved number in helping to find her number. But if two unsolved squares can help you on your way, three *solved* numbers together certainly can.

Look at the sequence 2–8–1 in row 8. It can help you solve the 7 in box 8. The 7s in columns 5 and 6 place the 7s in box 8 at either 8,4 or 9,4. It is the 7 in row 7 that will provide sufficient clues to make a choice. Because there can be no more 7s in row 7, the 2–8–1 in row 8 forces the 7 in box 7 to be in row 9. Although you don't know which square it will be in, the unsolved trio will prove that no more 7s will go in row 9, putting our 7 in box 8 at row 8. A solved row or column of three squares in a box is good news. Try the same trick with the 3–8–6 in row 2 to see if this triplet helps to solve any more.

Eliminate the extraneous

We have looked at the basic number-finding strategies, but what if these are just not up to the job? Until now we have been casually pencilling in possible numbers, but there are many puzzles that will require you to be totally methodical in order to seek out and eliminate extraneous numbers.

If you have come to a point where obvious clues have dried up, before moving into unknown territory and beginning bifurcation (more on that later), you should ensure that you have actually found all the numbers you can. The first step towards achieving this is to pencil in *all* possible numbers in each square. It takes less time than you'd think to rattle off 'can 1 go', 'can 2 go', 'can 3 go', etc., while checking for these numbers in the square's box, row and column.

Now you should **look for matching pairs** or trios of numbers in each column, row and box. You've seen matching pairs before: two squares in the same row, column or box that share a pair of numbers.

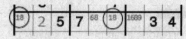

You can see what I mean in this illustration. In this row at column 1 there is a 1 8 and at column 6 there is also a 1 8. This matching pair is telling you that *only* either 1 or 8 is definitely at one or other of these locations. If that is true then **neither of these numbers can be at any other location in that row**. So you can eliminate the 1 and 8 in any other square of the row where they do not appear together. As you can see,

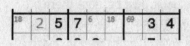

this immediately solves the square at column 5. This rule can be applied to a row, column or box.

The number-sharing rule can be taken a stage further. Say you have three squares in a row that share the numbers 3, 7 and 9 and *only* those numbers. They may look like 3 7, 3 9, 7 9 or 3 7, 3 9, 3 7 9 or even 3 7 9, 3 7 9, 3 7 9. In the same way as our pairs example worked, you can eliminate all other occurrences of those numbers anywhere else on that row (or column or square). It will probably take a minute or so to get your head round this one, but like the pairs, where we were looking for two squares that held the same two numbers exclusively, here we are looking for three squares that contain three numbers exclusively.

Sometimes, the obvious simply needs to be stated, as in the case of two squares that contain 3 7 and 3 7 9. If the 3 and the 7 occur *only* in those two squares in a row, column or box, then either the 3 or 7 must be true in either one of the squares. So why is the 9 still in that square with what is so obviously a matching pair? Once that 9 has been eliminated, the pair matches and can now eliminate other 3s and 7s in the row, column or box. You could say this was a 'hidden' pair.

You may find such hidden pairs in rows, columns or boxes, but when you find one in a box, only when it has been converted to a true matching pair can you treat it as part of a row or column. Hidden trios work in exactly the same way, but are just more difficult to spot. Once you have assimilated the principle of two numbers sharing two squares exclusively or three numbers sharing three squares exclusively you will be well on the way to solving the most difficult sudokus.

Stepping up the sudoku action

The strategies discussed so far will allow you to solve all but the most difficult sudoku. However, when you come to the more testing grades of tough and diabolical there are times when the logic required is much more difficult. What happens in these puzzles is that you will reach a point where there are no obvious numbers that can be solved. However, a few squares will have a choice of two numbers. Obviously, one number in each of these pairs will be correct in the final solution, but how do you find out which it is?

Let me say at this point that there *is* a logical and unique solution to each and every one of the puzzles in this book. Just because there are some computer programs that cry foul when they are incapable of solving some sudokus, does not mean that *you* will not be able to solve them with patience and by the systematic elimination of alternatives. Hundreds (if not thousands) of *Daily Telegraph* readers, just ordinary, intelligent people, return correct solutions to the most difficult sudokus published in the newspaper's daily competition.

So how do they do it? I'll wager that when you bought this book you didn't think you'd be dealing with methodological analysis and bifurcation, but these are the technical terms for the process of picking a likely pair of numbers, choosing one and seeing where the number you have chosen gets you. Because you can be confident that *one* of the numbers will eventually produce a route to the solution, it is simply a matter of carefully analysing the options and testing your choice. If your first choice doesn't work out then you take the alternative route.

In a tough puzzle, if you have solved everything you can and then made a bifurcation, one or other of the pair will invariably provide a route through to your solution. However, in a diabolical puzzle, neither of them may work and you will have to move on to another pair and make another bifurcation.

The next stage

The sudoku puzzles published in this book are graded by level of difficulty: gentle and moderate require straightforward logic, and have no apparent dead or loose ends. However, the tough and diabolical puzzles will present something of a challenge and require some heavy pencil-work before numbers can finally be resolved.

If you think of a sudoku puzzle as a maze, gentle and moderate puzzles are labyrinths with a simple path straight through to the exit. Tough and diabolical puzzles have dead-end paths which force you to try different routes. A tough puzzle may only have one of these dead ends to cope with, or it may be particularly tortuous. Diabolical puzzles will have at least one, and maybe more paths to follow, before finding the correct solution. The way to navigate this maze can be found in classical mythology, so allow me to tell you a story.

Ariadne's thread

As well as creating sudoku puzzles, I also compile the giant general knowledge crossword for *The Daily Telegraph* weekend supplement, so excuse me if I put that hat on for a few moments to remind you briefly of the story of Ariadne's thread.

Ariadne was the daughter of King Minos of Crete, who conquered the Athenian nation. An unfortunate intimacy between Ariadne's mother and a bull resulted in the birth of the monster – half-bull, half-man – called the Minotaur, who was banished to spend his days in the Labyrinth. King Minos, being something of a tyrant, called for tribute from Athens in the form of young men and women to be sacrificed to the Minotaur.

The young Athenian hero, Theseus, offered to accompany a group of the young unfortunates into the Labyrinth so that he could kill the Minotaur and save Athens from the cruel tribute. Ariadne fell in love with Theseus and, not wishing to see him lost in the Labyrinth once he had dealt with her bovine half-brother, she provided him with a means of escape – a silken thread. Theseus had simply to unwind it while he went through the Labyrinth; should he come to a dead end he could rewind it to the point where he had made a choice of paths and continue his search using the alternative route. The scheme worked out beautifully, the Minotaur was slain, Theseus found his way back out of the Labyrinth and Ariadne . . . well, she got her ball of string back, no doubt.

Replacing my sudoku hat, I hope that this tale of Ariadne's thread has served to illustrate the method used to solve tough and diabolical sudokus. Take a look at the following illustration that represents a gentle or moderate sudoku.

Your labyrinth has been straightened out in the diagram. It may not feel like it at the time, but there's just a start and finish.

Tough sudokus

In tough and diabolical sudokus too there is a beginning and an end to the maze. But now the illustration is slightly more complicated:

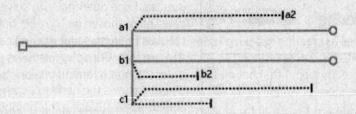

Somewhere along your route you will find that none of your pencilled numbers provide a next step. You may look at a square at *a1* where there are two options. One of the options takes you up a blind alley at *a2* and you must rewind your 'thread' to *a1* and choose the other number that takes you to a solution.

There may be another pair at *b1* that you could have chosen. One of the choices would have been wrong and led you to point *b2*, but the other would have been correct. Although the route is different, you end up with a solution.

However, if you had chosen either of the third pair at *c1*, neither number would have provided sufficient clues to get to the end.

At a dead end you may be presented with numerous choices of pairs. Although one or other of each of these pairs will be correct in the final solution, there is no guarantee that it will provide sufficient clues to take you through to the end of the puzzle.

Luckily in a 9×9 tough sudoku there are not too many options that don't provide sufficient clues, so the chances are that your first or second choice will get you on the right track.

Looking at a diabolical puzzle

In its structure there is little difference between a tough sudoku and a diabolical puzzle. The difference is that there are more places where clues can run out and more dead ends.

Take the example illustrated next: you can see the squares our solver has managed to complete using the strategies we have discussed previously. For clarity's sake we'll ignore all the 'pencil' marks on the

	8	4	5	⁵⁹	1		7	2
			4		8	1		5
1	5			3	2	4	9	8
		9	8			5		1
8		1		5				9
4	6	5	9	1	3	2	8	7
7	4	3	1	8	5	9	2	6
5	9			4	6		1	3
	1		3		9		5	4

9	8	4	5	⁵⁶	1	3	7	2
2	3	7	4	9	8	1	6	5
1	5	6	7	3	2	4	9	8
3	7	9	8	2	4	5		1
8	2	1		5	7	6	3	9
4	6	5	9	1	3	2	8	7
7	4	3	1	8	5	9	2	6
5	9	8	2	4	6	7	1	3
6	1	2	3	7	9	8	5	4

	8	4	5	⁵⁹9	1		7	2
9			4		8	1		5
1	5			3	2	4	9	8
		9	8			5		1
8		1		5				9
4	6	5	9	1	3	2	8	7
7	4	3	1	8	5	9	2	6
5	9			4	6		1	3
	1		3		9		5	4

grid except for the first pair: at 1,5 we have either a 6 or a 9. This would be the equivalent to point *a1*, *b1* or *c1* on our tough sudoku illustration. There is at least one other pair our solver could have chosen on the grid, but this was the first, so let's be logical and use that. Our solver chooses to try the 6 first, and the following diagram shows the numbers she is able to complete using this number in bold grey.

But with just two squares to fill, look at what we have: at 4,8 the box needs a 4 to complete it, but there is already a 4 in that row at 4,6. Similarly, at 5,4 that box needs a 6, but one already exists in that row at 5,7. No second guess was needed to prove that at 1,5 the 6 was incorrect.

So our solver returns to 1,5 and tries the 9. Now we are able to prove the 9 at 2,1, but nothing else is obvious; every square is left with options. In this case we could leave both 9s, because we proved without doubt that the 6 at 1,5 could not be correct, but if the 6 had simply left us without sufficient clues, as the 9 did, we wouldn't know which was true. So, rather than start a new, uncertain path it is better to return to the situation we were in before we chose at 1,5 and find another square to try from. This is a base we know to be true.

6	8	4	5	9	1	3⁶	7	2
9	3	2	4	7	8	1	6	5
1	5	7	6	3	2	4	9	8
3	2	9	8	6	7	5	4	1
8	7	1	2	5	4	6	3	9
4	6	5	9	1	3	2	8	7
7	4	3	1	8	5	9	2	6
5	9	8	7	4	6	▓	1	3
▓	1	6	3	2	9	7	5	4

In this illustration we can see that our solver looks at square 1,7 where the choice is between a 3 and a 6. Choosing the 3 she finds herself on a path that takes her to just two more to go . . .

Whoops. We need a 2 to complete box 7, but there's already a 2 in that row at 9,5. In box 9 we need an 8, but there's an 8 in row 8 already. It has happened again!

	8	4	5		1	6	7	2
		4		8	1			5
1	5			3	2	4	9	8
		9	8			5		1
8		1		5				9
4	6	5	9	1	3	2	8	7
7	4	3	1	8	5	9	2	6
5	9			4	6		1	3
	1		3		9		5	4

At this point, I find a couple of slugs of scotch help.

If you still have the time or inclination, wind in the thread to get back to 1,7. 3 was chosen last time. Try 6.

I'll let you finish up. I'm off down the pub!

Truly diabolical sudokus

Up to now I've been kind to you. If there have been pairs of numbers giving you a choice of routes, one or other of your choices has led to the end of the puzzle. But what if there are only one or two squares that present a choice, and none of these numbers provides a clear route through to the end? This is where you face really diabolical sudokus.

The next diagram illustrates just what can happen, only occasionally, in a diabolical sudoku. But at least you'll know the worst.

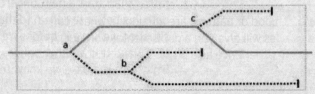

Having arrived at our first dead end – *a* – we go for one of the numbers and take it through to the point where this route also comes to a choice – *b*. If the path is clear, i.e., we are not in a situation where we would have two of the same number in a box, row or column, we now have to take another leap into the unknown and select one of a second pair. If this path comes to a dead end, let's rewind to point *b* and try the other number. We can see that it is going to be a dead end in the diagram. Having found no way forward on either of these paths we rewind our silken thread to take us back to point *a*. Here we choose the other number at this square. This takes us to *c*, where we have to choose again. If our luck changes we find a route through to the end, otherwise we have to try the other number at *c* before we find our path clear.

Of course I have only illustrated part of the full diabolical sudoku map here, and there may be other choices like the one at point *a* with equally difficult routes to follow.

If this scares your pants off, don't worry too much. I've shown a worst-case scenario and most diabolical sudokus can be tackled just like tough puzzles: if you come to an impasse, simply pick another pair. It's only when you have just one or two options that you'll find yourself in the pickle I've illustrated.

The last word

Every day I receive a few emails from *Daily Telegraph* solvers who tell me how they struggled on Tuesday's moderate puzzle, but flew through the diabolical example on Friday. My answer is always that my grading of puzzles is subjective. I have no way of knowing what mistakes a solver might make, how experienced he or she is or whether he or she is suffering from a bad day or not. The same puzzle may take one person thirty minutes and another two hours, and it's not always down to the level of experience of the solver. Also, some people have an innate ability to spot the clues. With practice, others develop this ability without realising it.

No matter how good or bad you are at sudoku, what I can guarantee is that these puzzles will give you a good mental workout. As keep fit for the brain, in my experience as a puzzle setter, sudoku is as good as it gets. Have fun.

Acknowlegements

Firstly, may I thank the thousands of *Daily Telegraph* readers who have contacted me since the puzzle first appeared. Their suggestions and unbounded enthusiasm for sudoku is reflected in the size of my daily postbag. Many of their comments, questions and suggestions have helped to shape this tutorial. Specifically I'd like to thank Phillip Rowe for his help in grading puzzles and John MacLeod for his contribution on extraneous numbers.

Michael Mepham

Frome, Somerset, 2005

The Puzzles

4				9			8	
			5			7		
6	2	3	7				4	
	4	9					7	3
7	6					9	2	
	3				2	4	1	5
		2			6			
	1			5				7

1

			1			7		2
	3		9	5				
		1			2			3
5	9					3		1
	2						7	
7		3					9	8
8			2			1		
				8	5		6	
6		5			9			

2

5		6						
	2			8		9	7	1
	8				4		3	
2			8			7		
			7		1			
		8			5			9
	6		1				9	
1	4	9		5			2	
						3		5

3

		6	9				3	4
			2	4			8	
		1			6			7
				2				9
5			8		4			3
8				5				
1			3			5		
	4			6	2			
9	6				5	2		

4

9	4						3	1
	8		9		6		2	
2		6				8		9
			1		3			
7								5
			8		2			
1		2				3		8
	7		3		1		5	
4	5						9	7

		8				5		7
		5	4		9			
			6				4	
			2		8		5	
5	2	6				8	7	9
	3		5		6			
	8				1			
			7		4	3		
2		1				4		

1								9
	6		5	8	1		2	
		2				8		
		8	1		6	5		
	2						7	
		7	9		2	1		
		6				4		
	7		8	2	5		9	
8								3

5			2		9			6
	1	2	8		5	9	7	
		7	5		6	2		
1								9
		3	7		1	4		
	9	4	1		7	3	5	
7			4		2			1

6				4	3	1		
1		9				2		
3	5		1	8				
	6				7		3	
				5				
	3		4				9	
				9	6		1	8
		1				7		2
		6	8	2				9

9

		7			3	6	4	
			8	9			3	1
			5		4			
3	7							
1	2						9	4
							6	2
			1		9			
6	1			4	5			
	5	4	6			1		

10

				4	7	3		2
						9		
		4	6	5				
	2	5			3		1	
	3		5		6		9	
	7		8			6	3	
				6	4	1		
		1						
9		2	1	8				

11

7		4			3			
3		8			1			
5				6		1		
				3	4			
9	4		1		2		3	5
			6	9				
		5		8				7
			5			3		9
			4			5		8

12

		2				5		
	3	9		6	4		1	
4				5				
2			9					5
1			7		2			4
9					6			3
				9				6
	4		1	8		9	7	
		8				4		

13

			4					1
	5			2				
	3	6			5	2		9
	6				1	8		
8	7						6	3
		9	8				1	
5		8	7			6	2	
				8			7	
7					4			

14

			9		2			
	5	4				7	3	
6								2
		7	5		3	1		
	3						2	
		9	2		1	4		
9								4
	7	6				3	1	
			7		6			

	2		9		3		1	
	6	7				3	2	
1								7
		4	2	1	9	7		
		6	3	4	7	8		
4								8
	8	2				1	7	
	1		8		2		4	

	7			6	5	8		1
		4		2				
	8	3	4				6	
3			2				9	
				5				
	2				8			7
	9				3	2	1	
				9		3		
1		2	5	7			8	

			6		2			
	6		4		9		2	
2								3
		7	2		5	3		
8	2						5	1
		4	9		8	6		
5								7
	7		1		6		9	
			7		3			

18

5			6		8			2
		3	1		4	5		
4	7						1	8
			3	5	9			
				4				
			8	6	7			
3	8						2	7
		6	5		2	8		
9			7		3			5

		3				5		
		5	3		7	6		
1	6						3	7
		7	2		6	4		
5								8
		1	5		8	7		
7	5						1	6
		4	8		1	2		
		2				9		

						8	3	2
	3		6	5	1		7	
					2		1	
6		8						3
	7						5	
2						1		4
	4		2					
	2		9	7	4		8	
9	8	5						

21

	3			8				4
	7			9	6			8
2			4					
	5					9		2
4	2						1	7
3		7					5	
					2			5
9			8	1			7	
6				3			8	

22

		2				3		
	6	3	1	2			8	
7				3			6	
2	9		7					
4								6
					6		5	9
	4			1				5
	7			5	3	4	1	
		5				6		

23

	8					3		2
			7		1			8
		4	9	3			1	
	6	3						
5	9						3	4
						8	9	
	4			1	2	7		
6			4		7			
8		7					5	

24

Puzzle 28

	6						4	
		7	3		6	8		
1								2
		9	7	3	2	5		
	2						3	
		5	6	4	8	1		
2								3
		3	9		5	2		
	7						9	

Puzzle 25

	3					8		6
		9			3	1	2	
			1	9		5		
4		7			5			
			8		1			
			6			4		2
		2		8	7			
	7	5	4			3		
3		8					4	

26

				5				
4	3	6			2		5	
1			8				4	9
		3	4					
	2		3		7		9	
			6			8		
7	1				8			3
	9		6			5	8	2
				2				

27

1			5				
		8	3		1	7	5
	3	2			9		
3			2				
		1				4	
7					5		
			9			5	
	8	5	7			6	3
					4		

			3			2		1
	8		1					
3					6			
		4	9				2	3
2		8				7		9
6	7				1	8		
			6					5
					9		7	
1		6			3			

29

	2		7	4	3		5	
8		7				2		4
		9	2		5	7		
7								8
		5	6		4	9		
3		6				4		2
	5		4	2	1		7	

30

	3				1	8		
7				2			3	1
						4	2	
		7		1				6
4			8		7			2
1				6		7		
	4	6						
3	5			8				7
		8	2				1	

31

9	1			7	8			
	7				3			1
3		2			6			9
					5		8	
	3						2	
	8		4					
4			3			9		7
7			9				6	
			7	6			5	4

		9	6				2	3
4		6	1					
	8					4		6
		1					7	
7								4
	5					9		
6		5					1	
					5	2		9
3	2				7	5		

	3		2	6		4		
	4		8			3		
6		5						
	5	2		7			8	
		6				5		
	9			4		2	7	
						6		9
		1			7		3	
		9		5	8		4	

34

			3		2			
	8						1	
6					4		7	5
					5	2	4	9
5			7		3			8
2	1	8	4					
9	4		2					7
	2						8	
			9		7			

	1		5				4	9
		6		8			5	7
				5			3	1
	4	3	1		9	7	2	
1	6			7				
5	9			4		2		
6	7				3		1	

			9		8			
		6				7		
4	9						3	1
		9	2		4	3		
6	3						2	7
		7	6		3	5		
1	5						7	4
		8				1		
			1		9			

	3		5	2	4	1		
							6	2
				1			4	
		3				9	5	1
	9						7	
6	7	5				8		
	5			6				
2	8							
		1	3	4	5		8	

38

	4		1		8		5	
	5	8				7	4	
7		2				3		8
			2		1			
3								6
			8		5			
5		1				9		3
	3	7				1	6	
	9		3		6		8	

39

4			1			6	3	
	7							4
	8		3		6			9
7		5				9	2	
				6				
	3	8				4		7
1			6		5		4	
2							6	
	6	7			1			5

3					2		1	
5			6		8			2
			4		3		9	5
	6			7				
1								9
				3			4	
9	8		1		7			
2			9		6			4
	7		3					1

	5			2				
6			5		1			8
			4				2	3
		5			2	1		
	9	7				6	3	
		3	6			9		
4	2				9			
5			2		4			9
				1			4	

42

7			5		9			4
	4	6				9	7	
3								8
			9		8			
4	6						9	1
			7		4			
2								3
	3	8				2	1	
9			3		1			7

	8		6				5	
	2	4		9				
		9						1
	5	8			3		1	2
4								6
1	6		2			3	8	
7						6		
				3		1	2	
	4				1		9	

44

		2	5	4				
1	5						3	2
7		3						5
			7				6	
6			2		4			7
	9				6			
3						8		4
4	1						5	9
				5	8	1		

				2		6		
	2	6		5				8
3	8	5			1			
		9	2				4	
		7				5		
	4				7	9		
			4			8	6	7
2				6		4	9	
		1	7					

46

4	3		1		9			
	9		5					
	2	6						
2		8	6				7	
3		1				2		9
	4				2	8		3
						5	8	
					6		9	
			3		5		4	7

47

	8	5				7	4	
			7	3			1	
4	2		6			1	5	
		7	3		5	6		
	5	8			7		3	2
	1			7	6			
	6	4				5	9	

48

		6		4				
1			7			2		
	8					7		9
3	9				5		7	
5			4		7			1
	6		9				2	5
7		5					4	
		9			4			2
				9		8		

49

				4		6	1	9
6					5		7	
			1					2
1					9	2		
			8		4			
		9	7					1
8					1			
	1		9					5
2	6	3		7				

50

3			4				6	
5					1	2	7	
								9
2		4		3		6		1
	6						8	
8		5		9		7		2
9								
	8	1	5					6
	2				4			7

51

8			5		3			1
	7			2			9	
		1				4		
		7	6		5	3		
		6	9		2	8		
		4				5		
	2			5			7	
5			3		6			4

	8		4					
		2						8
	1	5		2	7		9	4
	3			8	1			5
8			3	5			7	
6	4		1	7		8	5	
7						1		
					6		2	

		1	9			7		
9	6				4	5		
	8		1		6		4	
		6					7	
	7						2	
	4					1		
	1		4		3		8	
		7	5				1	9
		4			7	6		

54

		1	2	6		3	9	
5						8		
	8		4				1	
					5	7	2	
7								1
	1	2	7					
	9				4		3	
		6						2
	3	4		8	6	5		

	3				8			
1	6	7	4				8	
4		5						
7		1				6		
8			7		3			2
		3				9		5
						2		7
	2				1	4	9	3
			2				1	

56

9						6		
		5	7		4			
	3	4	1	9	2			8
1			9					
	6						4	
					6			9
4			8	5	1	3	9	
			3		7	4		
		2						5

57

							4	
			1		8			3
	8				2	5		9
6		2		9			5	
	9	1				6	2	
	5			6		9		4
1		5	8				9	
8			6		3			
	6							

58

8	3						2	7
			3		5			
1	6						8	3
		8	4	6	7	1		
		1	5	3	8	7		
7	4						6	1
			7		4			
2	1						7	5

	6	5						1
			1			3	7	
			4	8		6		
				4	8	1		5
		4				9		
8		1	6	2				
		9		7	6			
	8	3			1			
6						7	9	

				5			8	
		7			6			
1	2		9	8		5		
	1	9	8			4		
7								8
		8			4	2	6	
		4		6	3		5	1
			1			9		
	3			7				

2	8			7	1			
		4			2	5	9	7
5								
		6	4				8	
		7				6		
	4				6	9		
								9
6	1	8	3			2		
			6	8			1	3

		5		9		1	8	
					6	2	9	
								5
5			2			6		8
6	7						1	9
9		1			3			4
1								
	9	4	5					
	2	8		7		9		

					3		7	
		2		9	1	6		3
	5				2			
	4		6		8			5
	1						2	
7			1		5		8	
			2				3	
9		1	4	5		8		
	6		3					

64

	1				6			
		7			9	2	1	
	3			2		6		
1					7			
	7		2		3		4	
			8					1
		9		5			8	
	6	2	4			3		
			6				9	

65

		8			3	6		
	7			8		4	1	
				9	7			2
			6			8		
	2	6				5	4	
		3			5			
5			9	6				
	8	1		3			7	
		2	7			1		

66

1					2			7
				5				
	6	9			1			2
	7	8	2			1		
9		5				6		4
		1			6	7	8	
5			8			2	9	
				9				
8			4					6

2						3		
		8		9				6
	4	6					5	
8				5	9			
7		9				4		5
			1	2				7
	6					8	1	
1				6		7		
		2						4

	6			5	1			4
				2		6		3
			7			5		
1	3						4	
			2		7			
	2						7	9
		6			4			
5		1		6				
4			9	1			6	

69

						3		2
1				8		7		
	3				7		5	
7			2		6	9	8	3
9	6	2	8		3			5
	8		4				3	
		4		2				6
5		1						

70

		6	3				5	
	1					8		
3			9		4	1	7	
		7	5	9				
		9				4		
				6	8	9		
	6	1	8		5			2
		2					1	
	5				2	7		

71

4			7		1			2
		6		5		1		
8								3
		4	6		7	5		
	8						2	
		2	5		3	4		
2								6
		8		7		2		
1			3		2			9

72

		4			2	5		8
8		5				2	4	7
2	1							
					4			6
			7		6			
7			9					
							7	5
3	5	6				8		2
9		1	8			3		

73

		3				8	7	2
			7		3	1		
6						5		4
8				6			2	
	9						4	
	7			2				1
7		9						5
		1	6		7			
2	8	4				7		

74

		4		9	3			
	9					6		
3					4	9	8	
		8			7			4
1	5						6	7
4			1			2		
	2	1	8					6
		3					2	
			4	6		5		

	7				6		2	
		2	7	8	4			
4	6					1		
		4	8		7		6	
				5				
	9		3		1	7		
		1					8	9
			1	4	2	6		
	2		9				3	

6								1
	2	7	6	9				
		8					3	7
			5			8		
		5	9		7	1		
		6			2			
8	9					7		
				8	6	9	1	
3								2

		8	7			6		
								8
	4		8		5			3
	1		9	8				6
6	9						4	1
4				5	6		2	
8			4		9		5	
5								
		9			3	7		

78

3			9	2				
		8	3		4			
						2	3	
2	4	3			8	7	6	
				6				
	6	9	5			3	1	2
	5	7						
			7		6	4		
				3	2			1

79

					6		7	
	5			8		6	9	3
3								2
		9			1		4	
		2	5		3	8		
	7		6			2		
6								5
5	4	3		6			8	
	9		1					

80

5						9		1
		7					8	
			9	6	8			7
			1	3		6	5	
				2				
	9	3		5	4			
7			4	9	2			
	2					1		
4		5						2

81

9			5	2		4	6	
4	8				9			
		6						
5	3					7		
6	9						5	2
		2					9	1
						6		
			7				8	9
	2	5		9	3			4

82

						5		3
		7	8			6		
				5		8	9	
			1	2			6	7
4		6				1		5
5	2			6	7			
	8	5		3				
		4			9	3		
7		3						

83

	4		2					
		9				2		
3				9	8	7		1
2	3	1		5				
	9						3	
				1		6	2	8
5		3	4	2				6
		2				3		
					1		5	

84

	5	7			4			
3	4			6				7
8			2					1
			4	2		3		
		1				4		
		4		5	9			
6					7			8
4				1			9	5
			8			7	3	

85

			8	3				
3	8	5			4			9
						1		
	9	2			6			1
7		1				3		2
5			7			9	8	
		4						
6			9			2	4	5
				8	3			

		6		8	1			
	7				2	1		
		1	4			6	5	
			3				9	
6		5				3		8
	2				6			
	5	2			9	8		
		4	8				1	
			6	4		9		

7						8		
	6			3			1	
			4		9	3	5	
		4			8	1		
3	8						9	6
		7	6			4		
	7	9	5		1			
	3			7			8	
		6						2

88

7			4					6
	8	1			2		9	
3	6					8		
				9			1	
2			7		8			3
	3			6				
		6					3	5
	4		9			7	6	
9					6			1

89

8							2	6
7		2			4			
	1	5		7				
		7	4			5		8
			9		8			
5		9			6	2		
				4		6	7	
			5			3		2
2	4							1

90

1	3		4					
	5		1			9		6
		6					3	
3				9		5		
7			8		3			1
		8		4				3
	2					3		
6		1			2		4	
					4		6	8

91

			6					
	9	1			4	6		
7	8	6					5	
1					6	4		
9			5		2			3
		2	8					7
	6					7	9	2
		7	2			5	4	
					7			

92

4	1				9			
5		9		6	4			
	8		7		5			
					1			8
3			9		6			4
6			8					
			5		7		9	
			4	9		5		6
			6				7	3

93

	6				2	7		
				7	3		1	
			4	8		9		
	8					3		7
	7	1				8	5	
4		5				6		
		9		3	8			
	2		9	1				
		6	2				7	

94

					9	6	5	
7				6			8	1
		6			1			
3	5				4		7	
2								4
	6		7				9	5
			1			4		
1	7			3				9
	3	5	6					

95

			5		4			
					8		4	3
4		2		7		9		5
	8	1						7
		7				6		
3						5	1	
5		3		4		2		1
8	1		3					
			9		5			

96

	1	9		3				
	8		7					9
7			1					
6	4	7	5			8		
		8				9		
		2			8	3	4	5
					4			2
9					5		1	
			2			6	8	

3		6					2	
2	1	8			6			
	4					8		
				7	9		5	
		3	5		2	9		
	7		1	4				
		7					8	
			9			2	7	5
	9					3		6

98

8	3						4	6
	2		1		4		3	
		2	9		6	5		
1	4						2	3
		5	4		3	1		
	6		3		8		7	
9	5						6	2

99

4			8					
			7	4			6	9
		6					1	3
	6			9		3		
5								6
		3		8			4	
9	3					2		
2	1			7	5			
					9			8

100

2				1			8	
5			7		2	1		
	6	3	9					
7	3	2			5			
			4			9	3	2
					8	5	9	
		5	2		7			4
	8			5				7

101

		3			8	6	1	
					3		8	
			5					7
	5	8				1		4
		1	3		5	9		
6		9				5	7	
1					9			
	8		7					
	2	4	1			7		

102

9	6				4		8	1
2	5							
		7			5	6		
7					3	1		5
6		4	9					3
		5	7			9		
							2	7
4	7		3				5	6

103

	9							
7				2	9			1
	4		6	5				
		3			7	4	5	
4	8						9	6
	7	9	5			3		
				7	5		3	
1			8	6				9
							6	

104

2				7		6		
					2			
		8	6	9			7	3
					7	1	6	
		1	9		3	4		
	7	2	1					
7	1			5	4	3		
			7					
		4		8				9

105

	8	7				1	6	
		2	1		4	7		
3	5						9	4
			2	8	6			
				5				
			7	9	3			
7	6						2	1
		4	3		9	5		
	3	8				9	4	

106

	6		9	4				8
		3			6			
8					1		6	
9	5					4		
2		6				1		9
		1					7	6
	2		8					4
			7			5		
4				1	9		2	

107

			4	5	1	3		
		5				2		
		4				9		8
		2	3			6	4	
	4						7	
	3	7			6	5		
7		6				1		
		3				4		
		1	5	8	3			

108

2		8	7	5				
	1		6					
6						4		
1			4				9	3
	9	3				2	4	
7	4				9			6
		9						1
					6		7	
				1	3	6		8

	3					4		
	7		9	3		6		
4		6	5					
						8	2	
7	9		2		6		4	5
	5	2						
					5	9		2
		3		9	1		7	
		9					3	

					8	9		2
9		6	3					
1	8				4			
		9					7	
3	4	5				8	1	6
	1					2		
			8				2	4
				9	5			7
8		3	4					

111

		1	5					6
				8		1	2	
			9	3	1		4	
6	5						8	
				9				
	2						6	9
	9		8	5	3			
	3	4		2				
8					4	9		

	8	5	9		4	7	1	
2		4				6		9
		7	1		3	8		
	2						7	
		6	8		7	9		
9		8				4		6
	6	1	7		9	2	5	

5			3		4			
					2	9	3	
				7	9		6	
8				2	6		4	
		7				2		
	3		9	4				6
	7		2	9				
	5	3	4					
			8		1			3

114

6		5			1		2	
		4		5				
		9	2				1	
8		1	7				5	
		3				7		
	6				3	9		1
	9				5	2		
				4		8		
	4		8			1		5

115

6								2
		2	8		7	1		
	8						7	
		8	6		3	5		
9	5						3	7
		1	4		5	2		
	9						5	
		5	9		6	4		
2								6

116

	1				6		9	
5			1			6		
	9					1	2	5
3				2	8		1	
				1				
	5		6	3				7
8	2	6					3	
		5			4			1
	4		3				6	

117

9				4			7	6
1						9		
	6							5
		4	2		3	5	6	
			7		8			
	9	1	4		5	8		
6							1	
		9						2
7	3			8				4

118

		6			1		9	
					5			
8				4			7	
9	8	4		7		1	2	3
7	2	1		3		5	6	9
	1			9				7
			6					
	3		8			2		

119

	6	5						8
7			8	6		4		
				2				9
	4				1			2
			2		7			
3			5				7	
4				5				
		1		7	9			3
9						2	6	

120

8			7		1			2
		6				7		
	1	7				8	9	
			1	7	3			
7								6
			9	5	6			
	9	5				4	1	
		8				5		
3			6		5			7

121

2	1		3				9	
		3	4			8		
6							3	4
				2	6			7
		6				5		
4			8	5				
3	2							9
		8			7	2		
	6				4		1	8

7		4		8		9		
			6			3		5
				9			7	
	3	6	1		8			
2								8
			9		3	2	1	
	8			1				
1		3			6			
		2		3		8		1

	1	3				8	4	
		8	1		4	9		
2								5
		6	9		1	7		
3								8
		5	4		8	2		
5								7
		7	2		6	5		
	8	2				6	9	

123

1			9		7			3
	8						7	
		9				6		
		7	2		9	4		
4	1						9	5
		8	5		4	3		
		3				7		
	5						4	
2			8		6			9

8			4	3		6		
								8
1	7				6		2	
		1		2	8		5	9
4	5		6	9		1		
	1		5				6	3
9								
		7		1	4			2

						3		
				2	8		6	9
			9				1	
		9	2				7	8
			7		1			
8	6				5	4		
	8				2			
1	2		5	6				
		4						

127

	2		8		3		1	
	3	9				8	7	
8								4
		1	3	2	7	6		
		7	5	4	8	3		
2								3
	4	3				1	6	
	7		6		9		5	

128

6	1	8						4
	5					8	1	
			3				6	
	2		4			9		7
			2		3			
8		4			7		5	
	8				1			
	9	1					2	
2						1	4	9

129

2			5			4	7	
	4				8			1
3			7		4	8		
					2	7		
6								2
		9	6					
		1	4		3			7
4			2				5	
	5	2			9			3

	1						8	
		5		1		3		
	4		8		3			5
9			2	6				4
	3						5	
2				3	4			7
1			6		2		9	
		6		8		7		
	2						6	

131

9	5					6	7	
					7	3	1	
8			5	6	1			
2	3							
		9				1		
							3	7
			1	4	5			9
	9	4	2					
	8	5					2	1

132

The Solutions

1

4	5	7	2	9	3	1	8	6
1	9	8	5	6	4	7	3	2
6	2	3	7	8	1	5	4	9
2	4	9	6	1	5	8	7	3
3	8	1	9	2	7	6	5	4
7	6	5	4	3	8	9	2	1
9	3	6	8	7	2	4	1	5
5	7	2	1	4	6	3	9	8
8	1	4	3	5	9	2	6	7

2

9	5	6	1	3	8	7	4	2
2	3	7	9	5	4	8	1	6
4	8	1	6	7	2	9	5	3
5	9	4	8	6	7	3	2	1
1	2	8	5	9	3	6	7	4
7	6	3	4	2	1	5	9	8
8	7	9	2	4	6	1	3	5
3	1	2	7	8	5	4	6	9
6	4	5	3	1	9	2	8	7

3

5	1	6	9	3	7	8	4	2
4	2	3	5	8	6	9	7	1
9	8	7	2	1	4	5	3	6
2	9	1	8	6	3	7	5	4
6	5	4	7	9	1	2	8	3
7	3	8	4	2	5	1	6	9
3	6	5	1	7	2	4	9	8
1	4	9	3	5	8	6	2	7
8	7	2	6	4	9	3	1	5

4

2	5	6	9	7	8	1	3	4
3	7	9	2	4	1	6	8	5
4	8	1	5	3	6	9	2	7
6	1	4	7	2	3	8	5	9
5	9	2	8	1	4	7	6	3
8	3	7	6	5	9	4	1	2
1	2	8	3	9	7	5	4	6
7	4	5	1	6	2	3	9	8
9	6	3	4	8	5	2	7	1

5

9	4	5	2	8	7	6	3	1
3	8	7	9	1	6	5	2	4
2	1	6	5	3	4	8	7	9
8	2	9	1	5	3	7	4	6
7	3	1	4	6	9	2	8	5
5	6	4	8	7	2	9	1	3
1	9	2	7	4	5	3	6	8
6	7	8	3	9	1	4	5	2
4	5	3	6	2	8	1	9	7

6

9	4	8	3	1	2	5	6	7
7	6	5	4	8	9	1	3	2
3	1	2	6	5	7	9	4	8
1	9	4	2	7	8	6	5	3
5	2	6	1	4	3	8	7	9
8	3	7	5	9	6	2	1	4
4	8	3	9	6	1	7	2	5
6	5	9	7	2	4	3	8	1
2	7	1	8	3	5	4	9	6

7

1	8	5	2	4	7	3	6	9
9	6	3	5	8	1	7	2	4
7	4	2	6	9	3	8	1	5
4	9	8	1	7	6	5	3	2
5	2	1	4	3	8	9	7	6
6	3	7	9	5	2	1	4	8
2	5	6	3	1	9	4	8	7
3	7	4	8	2	5	6	9	1
8	1	9	7	6	4	2	5	3

8

5	4	8	2	7	9	1	3	6
6	1	2	8	3	5	9	7	4
3	7	9	6	1	4	5	2	8
4	8	7	5	9	6	2	1	3
1	2	5	3	4	8	7	6	9
9	6	3	7	2	1	4	8	5
2	5	1	9	8	3	6	4	7
8	9	4	1	6	7	3	5	2
7	3	6	4	5	2	8	9	1

9

6	7	2	9	4	3	1	8	5
1	8	9	6	7	5	2	4	3
3	5	4	1	8	2	9	7	6
9	6	5	2	1	7	8	3	4
4	1	8	3	5	9	6	2	7
2	3	7	4	6	8	5	9	1
5	2	3	7	9	6	4	1	8
8	9	1	5	3	4	7	6	2
7	4	6	8	2	1	3	5	9

10

8	9	7	2	1	3	6	4	5
4	6	5	8	9	7	2	3	1
2	3	1	5	6	4	9	8	7
3	7	9	4	2	6	5	1	8
1	2	6	3	5	8	7	9	4
5	4	8	9	7	1	3	6	2
7	8	2	1	3	9	4	5	6
6	1	3	7	4	5	8	2	9
9	5	4	6	8	2	1	7	3

11

8	1	6	9	4	7	3	5	2
2	5	7	3	1	8	9	4	6
3	9	4	6	5	2	7	8	1
6	2	5	4	9	3	8	1	7
1	3	8	5	7	6	2	9	4
4	7	9	8	2	1	6	3	5
5	8	3	7	6	4	1	2	9
7	4	1	2	3	9	5	6	8
9	6	2	1	8	5	4	7	3

12

7	1	4	2	5	3	9	8	6
3	6	8	9	4	1	7	5	2
5	2	9	7	6	8	1	4	3
2	5	7	8	3	4	6	9	1
9	4	6	1	7	2	8	3	5
8	3	1	6	9	5	2	7	4
1	9	5	3	8	6	4	2	7
4	8	2	5	1	7	3	6	9
6	7	3	4	2	9	5	1	8

13

8	6	2	3	7	1	5	4	9
5	3	9	8	6	4	2	1	7
4	1	7	2	5	9	6	3	8
2	7	3	9	4	8	1	6	5
1	5	6	7	3	2	8	9	4
9	8	4	5	1	6	7	2	3
7	2	1	4	9	5	3	8	6
6	4	5	1	8	3	9	7	2
3	9	8	6	2	7	4	5	1

14

9	8	2	4	3	6	7	5	1
1	5	7	9	2	8	4	3	6
4	3	6	1	7	5	2	8	9
2	6	5	3	9	1	8	4	7
8	7	1	5	4	2	9	6	3
3	4	9	8	6	7	5	1	2
5	9	8	7	1	3	6	2	4
6	1	4	2	8	9	3	7	5
7	2	3	6	5	4	1	9	8

15

7	8	3	9	4	2	5	6	1
2	5	4	1	6	8	7	3	9
6	9	1	3	5	7	8	4	2
4	2	7	5	9	3	1	8	6
1	3	5	6	8	4	9	2	7
8	6	9	2	7	1	4	5	3
9	1	2	8	3	5	6	7	4
5	7	6	4	2	9	3	1	8
3	4	8	7	1	6	2	9	5

16

5	2	8	9	7	3	6	1	4
9	6	7	1	8	4	3	2	5
1	4	3	5	2	6	9	8	7
8	5	4	2	1	9	7	3	6
3	7	1	6	5	8	4	9	2
2	9	6	3	4	7	8	5	1
4	3	5	7	9	1	2	6	8
6	8	2	4	3	5	1	7	9
7	1	9	8	6	2	5	4	3

17

2	7	9	3	6	5	8	4	1
6	1	4	8	2	7	5	3	9
5	8	3	4	1	9	7	6	2
3	5	7	2	4	6	1	9	8
9	6	8	7	5	1	4	2	3
4	2	1	9	3	8	6	5	7
7	9	5	6	8	3	2	1	4
8	4	6	1	9	2	3	7	5
1	3	2	5	7	4	9	8	6

18

9	3	5	6	8	2	7	1	4
7	6	1	4	3	9	8	2	5
2	4	8	5	7	1	9	6	3
6	1	7	2	4	5	3	8	9
8	2	9	3	6	7	4	5	1
3	5	4	9	1	8	6	7	2
5	9	6	8	2	4	1	3	7
4	7	3	1	5	6	2	9	8
1	8	2	7	9	3	5	4	6

19

5	9	1	6	7	8	3	4	2
8	6	3	1	2	4	5	7	9
4	7	2	9	3	5	6	1	8
1	4	7	3	5	9	2	8	6
6	5	8	2	4	1	7	9	3
2	3	9	8	6	7	4	5	1
3	8	5	4	1	6	9	2	7
7	1	6	5	9	2	8	3	4
9	2	4	7	8	3	1	6	5

20

8	7	3	1	6	9	5	4	2
4	2	5	3	8	7	6	9	1
1	6	9	4	5	2	8	3	7
9	8	7	2	1	6	4	5	3
5	4	6	7	9	3	1	2	8
2	3	1	5	4	8	7	6	9
7	5	8	9	2	4	3	1	6
6	9	4	8	3	1	2	7	5
3	1	2	6	7	5	9	8	4

21

5	6	1	4	9	7	8	3	2
8	3	2	6	5	1	4	7	9
7	9	4	8	3	2	5	1	6
6	1	8	5	4	9	7	2	3
4	7	9	1	2	3	6	5	8
2	5	3	7	6	8	1	9	4
3	4	7	2	8	5	9	6	1
1	2	6	9	7	4	3	8	5
9	8	5	3	1	6	2	4	7

22

5	3	9	2	8	1	7	6	4
1	7	4	5	9	6	3	2	8
2	6	8	4	7	3	5	9	1
8	5	1	6	4	7	9	3	2
4	2	6	3	5	9	8	1	7
3	9	7	1	2	8	4	5	6
7	8	3	9	6	2	1	4	5
9	4	2	8	1	5	6	7	3
6	1	5	7	3	4	2	8	9

23

5	1	2	4	6	8	3	9	7
9	6	3	1	2	7	5	8	4
7	8	4	5	3	9	2	6	1
2	9	6	7	8	5	1	4	3
4	5	7	3	9	1	8	2	6
8	3	1	2	4	6	7	5	9
3	4	8	6	1	2	9	7	5
6	7	9	8	5	3	4	1	2
1	2	5	9	7	4	6	3	8

24

1	8	9	5	6	4	3	7	2
3	5	6	7	2	1	9	4	8
2	7	4	9	3	8	6	1	5
4	6	3	1	8	9	5	2	7
5	9	8	2	7	6	1	3	4
7	1	2	3	4	5	8	9	6
9	4	5	8	1	2	7	6	3
6	3	1	4	5	7	2	8	9
8	2	7	6	9	3	4	5	1

25

7	3	1	5	2	4	8	9	6
8	5	9	7	6	3	1	2	4
2	6	4	1	9	8	5	7	3
4	9	7	2	3	5	6	8	1
5	2	6	8	4	1	7	3	9
1	8	3	6	7	9	4	5	2
6	4	2	3	8	7	9	1	5
9	7	5	4	1	2	3	6	8
3	1	8	9	5	6	2	4	7

26

2	8	9	7	5	4	3	1	6
4	3	6	9	1	2	7	5	8
1	5	7	8	3	6	2	4	9
8	7	3	1	4	9	6	2	5
6	2	5	3	8	7	1	9	4
9	4	1	2	6	5	8	3	7
7	1	2	5	9	8	4	6	3
3	9	4	6	7	1	5	8	2
5	6	8	4	2	3	9	7	1

27

1	4	7	5	6	8	9	2	3
6	9	8	3	2	1	7	5	4
5	3	2	4	7	9	8	1	6
3	5	4	2	8	7	6	9	1
8	2	1	6	9	3	4	7	5
7	6	9	1	4	5	2	3	8
4	1	6	9	3	2	5	8	7
2	8	5	7	1	6	3	4	9
9	7	3	8	5	4	1	6	2

28

3	6	2	5	8	1	9	4	7
9	4	7	3	2	6	8	1	5
1	5	8	4	9	7	3	6	2
6	1	9	7	3	2	5	8	4
8	2	4	1	5	9	7	3	6
7	3	5	6	4	8	1	2	9
2	9	1	8	7	4	6	5	3
4	8	3	9	6	5	2	7	1
5	7	6	2	1	3	4	9	8

29

7	6	5	3	9	8	2	4	1
9	8	2	1	4	5	3	6	7
3	4	1	7	2	6	5	9	8
5	1	4	9	8	7	6	2	3
2	3	8	5	6	4	7	1	9
6	7	9	2	3	1	8	5	4
8	9	7	6	1	2	4	3	5
4	2	3	8	5	9	1	7	6
1	5	6	4	7	3	9	8	2

30

5	4	3	8	9	2	6	1	7
6	2	1	7	4	3	8	5	9
8	9	7	5	1	6	2	3	4
4	3	9	2	8	5	7	6	1
7	6	2	1	3	9	5	4	8
1	8	5	6	7	4	9	2	3
3	1	6	9	5	7	4	8	2
9	5	8	4	2	1	3	7	6
2	7	4	3	6	8	1	9	5

31

5	3	2	6	4	1	8	7	9
7	8	4	5	2	9	6	3	1
6	1	9	7	3	8	4	2	5
8	2	7	3	1	5	9	4	6
4	6	3	8	9	7	1	5	2
1	9	5	4	6	2	7	8	3
2	4	6	1	7	3	5	9	8
3	5	1	9	8	4	2	6	7
9	7	8	2	5	6	3	1	4

32

9	1	4	5	7	8	6	3	2
6	7	8	2	9	3	5	4	1
3	5	2	1	4	6	8	7	9
1	4	9	6	2	5	7	8	3
5	3	7	8	1	9	4	2	6
2	8	6	4	3	7	1	9	5
4	6	5	3	8	2	9	1	7
7	2	1	9	5	4	3	6	8
8	9	3	7	6	1	2	5	4

33

5	7	9	6	8	4	1	2	3
4	3	6	1	2	9	7	8	5
1	8	2	7	5	3	4	9	6
9	4	1	5	3	8	6	7	2
7	6	3	2	9	1	8	5	4
2	5	8	4	7	6	9	3	1
6	9	5	8	4	2	3	1	7
8	1	7	3	6	5	2	4	9
3	2	4	9	1	7	5	6	8

34

9	3	8	2	6	5	4	1	7
2	4	7	8	1	9	3	6	5
6	1	5	7	3	4	9	2	8
4	5	2	9	7	6	1	8	3
1	7	6	3	8	2	5	9	4
8	9	3	5	4	1	2	7	6
7	8	4	1	2	3	6	5	9
5	6	1	4	9	7	8	3	2
3	2	9	6	5	8	7	4	1

35

1	5	7	3	8	2	4	9	6
4	8	9	5	7	6	3	1	2
6	3	2	1	9	4	8	7	5
3	7	6	8	1	5	2	4	9
5	9	4	7	2	3	1	6	8
2	1	8	4	6	9	7	5	3
9	4	1	2	5	8	6	3	7
7	2	5	6	3	1	9	8	4
8	6	3	9	4	7	5	2	1

36

7	1	8	5	2	6	3	4	9
4	5	9	7	3	1	8	6	2
2	3	6	9	8	4	1	5	7
9	2	7	4	5	8	6	3	1
8	4	3	1	6	9	7	2	5
1	6	5	3	7	2	4	9	8
5	9	1	6	4	7	2	8	3
3	8	4	2	1	5	9	7	6
6	7	2	8	9	3	5	1	4

37

7	1	3	9	4	8	2	6	5
8	2	6	5	3	1	7	4	9
4	9	5	7	6	2	8	3	1
5	8	9	2	7	4	3	1	6
6	3	1	8	9	5	4	2	7
2	4	7	6	1	3	5	9	8
1	5	2	3	8	6	9	7	4
9	6	8	4	2	7	1	5	3
3	7	4	1	5	9	6	8	2

38

7	3	6	5	2	4	1	9	8
4	1	9	7	8	3	5	6	2
5	2	8	6	1	9	7	4	3
8	4	3	2	7	6	9	5	1
1	9	2	4	5	8	3	7	6
6	7	5	9	3	1	8	2	4
3	5	7	8	6	2	4	1	9
2	8	4	1	9	7	6	3	5
9	6	1	3	4	5	2	8	7

39

9	4	3	1	7	8	6	5	2
6	5	8	9	2	3	7	4	1
7	1	2	6	5	4	3	9	8
4	7	9	2	6	1	8	3	5
3	8	5	7	4	9	2	1	6
1	2	6	8	3	5	4	7	9
5	6	1	4	8	7	9	2	3
8	3	7	5	9	2	1	6	4
2	9	4	3	1	6	5	8	7

40

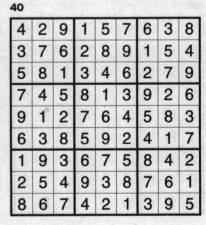

4	2	9	1	5	7	6	3	8
3	7	6	2	8	9	1	5	4
5	8	1	3	4	6	2	7	9
7	4	5	8	1	3	9	2	6
9	1	2	7	6	4	5	8	3
6	3	8	5	9	2	4	1	7
1	9	3	6	7	5	8	4	2
2	5	4	9	3	8	7	6	1
8	6	7	4	2	1	3	9	5

41

3	9	8	7	5	2	4	1	6
5	4	1	6	9	8	3	7	2
7	2	6	4	1	3	8	9	5
4	6	2	5	7	9	1	3	8
1	3	7	8	6	4	5	2	9
8	5	9	2	3	1	6	4	7
9	8	5	1	4	7	2	6	3
2	1	3	9	8	6	7	5	4
6	7	4	3	2	5	9	8	1

42

9	5	4	8	2	3	7	6	1
6	3	2	5	7	1	4	9	8
7	1	8	4	9	6	5	2	3
8	6	5	9	3	2	1	7	4
2	9	7	1	4	8	6	3	5
1	4	3	6	5	7	9	8	2
4	2	1	3	6	9	8	5	7
5	7	6	2	8	4	3	1	9
3	8	9	7	1	5	2	4	6

43

7	1	2	5	8	9	3	6	4
8	4	6	1	3	2	9	7	5
3	9	5	6	4	7	1	2	8
5	2	3	9	1	8	7	4	6
4	6	7	2	5	3	8	9	1
1	8	9	7	6	4	5	3	2
2	7	1	8	9	6	4	5	3
6	3	8	4	7	5	2	1	9
9	5	4	3	2	1	6	8	7

44

3	8	1	6	2	7	9	5	4
6	2	4	1	9	5	7	3	8
5	7	9	3	4	8	2	6	1
9	5	8	7	6	3	4	1	2
4	3	2	8	1	9	5	7	6
1	6	7	2	5	4	3	8	9
7	1	3	9	8	2	6	4	5
8	9	5	4	3	6	1	2	7
2	4	6	5	7	1	8	9	3

45

9	8	2	5	4	3	7	1	6
1	5	6	8	7	9	4	3	2
7	4	3	6	1	2	9	8	5
8	2	4	7	9	5	3	6	1
6	3	1	2	8	4	5	9	7
5	9	7	1	3	6	2	4	8
3	7	5	9	6	1	8	2	4
4	1	8	3	2	7	6	5	9
2	6	9	4	5	8	1	7	3

46

7	1	4	8	2	3	6	5	9
9	2	6	7	5	4	1	3	8
3	8	5	6	9	1	2	7	4
1	5	9	2	8	6	7	4	3
6	3	7	1	4	9	5	8	2
8	4	2	5	3	7	9	1	6
5	9	3	4	1	2	8	6	7
2	7	8	3	6	5	4	9	1
4	6	1	9	7	8	3	2	5

47

4	3	5	1	6	9	7	2	8
1	9	7	5	2	8	4	3	6
8	2	6	4	3	7	9	1	5
2	5	8	6	9	3	1	7	4
3	7	1	8	5	4	2	6	9
6	4	9	7	1	2	8	5	3
7	6	3	9	4	1	5	8	2
5	8	4	2	7	6	3	9	1
9	1	2	3	8	5	6	4	7

48

2	8	5	9	6	1	7	4	3
3	7	1	8	5	4	2	6	9
9	4	6	7	3	2	8	1	5
4	2	3	6	9	8	1	5	7
1	9	7	3	2	5	6	8	4
6	5	8	1	4	7	9	3	2
5	1	9	4	7	6	3	2	8
8	3	2	5	1	9	4	7	6
7	6	4	2	8	3	5	9	1

49

9	7	6	1	4	2	5	8	3
1	5	3	7	8	9	2	6	4
2	8	4	3	5	6	7	1	9
3	9	1	2	6	5	4	7	8
5	2	8	4	3	7	6	9	1
4	6	7	9	1	8	3	2	5
7	1	5	8	2	3	9	4	6
8	3	9	6	7	4	1	5	2
6	4	2	5	9	1	8	3	7

50

5	8	2	3	4	7	6	1	9
6	3	1	2	9	5	4	7	8
9	4	7	1	8	6	5	3	2
1	7	8	6	5	9	2	4	3
3	2	6	8	1	4	9	5	7
4	5	9	7	2	3	8	6	1
8	9	5	4	3	1	7	2	6
7	1	4	9	6	2	3	8	5
2	6	3	5	7	8	1	9	4

51

3	1	2	4	7	9	8	6	5
5	9	8	3	6	1	2	7	4
7	4	6	2	5	8	3	1	9
2	7	4	8	3	5	6	9	1
1	6	9	7	4	2	5	8	3
8	3	5	1	9	6	7	4	2
9	5	7	6	1	3	4	2	8
4	8	1	5	2	7	9	3	6
6	2	3	9	8	4	1	5	7

52

8	6	9	5	4	3	7	2	1
4	7	5	8	2	1	6	9	3
2	3	1	7	6	9	4	8	5
9	8	7	6	1	5	3	4	2
3	5	2	4	8	7	1	6	9
1	4	6	9	3	2	8	5	7
7	1	4	2	9	8	5	3	6
6	2	3	1	5	4	9	7	8
5	9	8	3	7	6	2	1	4

53

9	8	6	4	1	5	2	3	7
4	7	2	6	9	3	5	1	8
3	1	5	8	2	7	6	9	4
2	3	4	7	8	1	9	6	5
5	9	7	2	6	4	3	8	1
8	6	1	3	5	9	4	7	2
6	4	3	1	7	2	8	5	9
7	2	9	5	3	8	1	4	6
1	5	8	9	4	6	7	2	3

54

4	5	1	9	3	2	7	6	8
9	6	2	8	7	4	5	3	1
7	8	3	1	5	6	9	4	2
1	2	6	3	4	9	8	7	5
5	7	9	6	8	1	3	2	4
3	4	8	7	2	5	1	9	6
6	1	5	4	9	3	2	8	7
2	3	7	5	6	8	4	1	9
8	9	4	2	1	7	6	5	3

55

4	7	1	2	6	8	3	9	5
5	2	3	9	7	1	8	6	4
6	8	9	4	5	3	2	1	7
9	4	8	6	1	5	7	2	3
7	6	5	8	3	2	9	4	1
3	1	2	7	4	9	6	5	8
8	9	7	5	2	4	1	3	6
1	5	6	3	9	7	4	8	2
2	3	4	1	8	6	5	7	9

56

9	3	2	1	5	8	7	6	4
1	6	7	4	3	2	5	8	9
4	8	5	9	6	7	3	2	1
7	9	1	5	2	4	6	3	8
8	5	6	7	9	3	1	4	2
2	4	3	8	1	6	9	7	5
6	1	4	3	8	9	2	5	7
5	2	8	6	7	1	4	9	3
3	7	9	2	4	5	8	1	6

57

9	1	7	5	8	3	6	2	4
8	2	5	7	6	4	9	3	1
6	3	4	1	9	2	7	5	8
1	4	8	9	3	5	2	6	7
7	6	9	2	1	8	5	4	3
2	5	3	4	7	6	8	1	9
4	7	6	8	5	1	3	9	2
5	9	1	3	2	7	4	8	6
3	8	2	6	4	9	1	7	5

58

5	1	7	9	3	6	8	4	2
9	2	4	1	5	8	7	6	3
3	8	6	7	4	2	5	1	9
6	3	2	4	9	7	1	5	8
4	9	1	3	8	5	6	2	7
7	5	8	2	6	1	9	3	4
1	7	5	8	2	4	3	9	6
8	4	9	6	1	3	2	7	5
2	6	3	5	7	9	4	8	1

59

8	3	5	6	4	1	9	2	7
9	7	2	3	8	5	6	1	4
1	6	4	9	7	2	5	8	3
3	9	8	4	6	7	1	5	2
6	5	7	1	2	9	3	4	8
4	2	1	5	3	8	7	9	6
7	4	9	2	5	3	8	6	1
5	8	6	7	1	4	2	3	9
2	1	3	8	9	6	4	7	5

60

4	6	5	9	3	7	2	8	1
9	2	8	1	6	5	3	7	4
1	3	7	4	8	2	6	5	9
3	9	6	7	4	8	1	2	5
2	7	4	5	1	3	9	6	8
8	5	1	6	2	9	4	3	7
5	4	9	3	7	6	8	1	2
7	8	3	2	9	1	5	4	6
6	1	2	8	5	4	7	9	3

61

4	9	6	3	5	1	7	8	2
5	8	7	4	2	6	1	9	3
1	2	3	9	8	7	5	4	6
6	1	9	8	3	2	4	7	5
7	4	2	6	9	5	3	1	8
3	5	8	7	1	4	2	6	9
9	7	4	2	6	3	8	5	1
2	6	5	1	4	8	9	3	7
8	3	1	5	7	9	6	2	4

62

2	8	9	5	7	1	3	4	6
1	6	4	8	3	2	5	9	7
5	7	3	9	6	4	1	2	8
9	5	6	4	2	3	7	8	1
3	2	7	1	9	8	6	5	4
8	4	1	7	5	6	9	3	2
4	3	5	2	1	7	8	6	9
6	1	8	3	4	9	2	7	5
7	9	2	6	8	5	4	1	3

63

4	6	5	3	9	2	1	8	7
8	1	7	4	5	6	2	9	3
2	3	9	1	8	7	4	6	5
5	4	3	2	1	9	6	7	8
6	7	2	8	4	5	3	1	9
9	8	1	7	6	3	5	2	4
1	5	6	9	3	8	7	4	2
7	9	4	5	2	1	8	3	6
3	2	8	6	7	4	9	5	1

64

1	9	8	5	6	3	2	7	4
4	7	2	8	9	1	6	5	3
6	5	3	7	4	2	1	9	8
3	4	9	6	2	8	7	1	5
8	1	5	9	7	4	3	2	6
7	2	6	1	3	5	4	8	9
5	8	4	2	1	6	9	3	7
9	3	1	4	5	7	8	6	2
2	6	7	3	8	9	5	4	1

65

2	1	4	7	8	6	9	3	5
6	8	7	5	3	9	2	1	4
9	3	5	1	2	4	6	7	8
1	2	8	9	4	7	5	6	3
5	7	6	2	1	3	8	4	9
4	9	3	8	6	5	7	2	1
7	4	9	3	5	2	1	8	6
8	6	2	4	9	1	3	5	7
3	5	1	6	7	8	4	9	2

66

2	9	8	1	4	3	6	5	7
3	7	5	2	8	6	4	1	9
1	6	4	5	9	7	3	8	2
7	5	9	6	1	4	8	2	3
8	2	6	3	7	9	5	4	1
4	1	3	8	2	5	7	9	6
5	4	7	9	6	1	2	3	8
6	8	1	4	3	2	9	7	5
9	3	2	7	5	8	1	6	4

67

1	5	3	6	8	2	9	4	7
7	8	2	9	5	4	3	6	1
4	6	9	3	7	1	8	5	2
6	7	8	2	4	9	1	3	5
9	3	5	7	1	8	6	2	4
2	4	1	5	3	6	7	8	9
5	1	4	8	6	7	2	9	3
3	2	6	1	9	5	4	7	8
8	9	7	4	2	3	5	1	6

68

2	9	1	5	4	6	3	7	8
5	7	8	3	9	1	2	4	6
3	4	6	2	7	8	1	5	9
8	2	4	7	5	9	6	3	1
7	1	9	6	8	3	4	2	5
6	5	3	1	2	4	9	8	7
4	6	7	9	3	5	8	1	2
1	8	5	4	6	2	7	9	3
9	3	2	8	1	7	5	6	4

69

9	6	2	3	5	1	7	8	4
7	5	8	4	2	9	6	1	3
3	1	4	7	8	6	5	9	2
1	3	7	6	9	5	2	4	8
8	4	9	2	3	7	1	5	6
6	2	5	1	4	8	3	7	9
2	8	6	5	7	4	9	3	1
5	9	1	8	6	3	4	2	7
4	7	3	9	1	2	8	6	5

70

4	7	8	1	6	5	3	9	2
1	5	9	3	8	2	7	6	4
2	3	6	9	4	7	8	5	1
7	4	5	2	1	6	9	8	3
8	1	3	5	9	4	6	2	7
9	6	2	8	7	3	1	4	5
6	8	7	4	5	1	2	3	9
3	9	4	7	2	8	5	1	6
5	2	1	6	3	9	4	7	8

71

7	9	6	3	8	1	2	5	4
5	1	4	7	2	6	8	9	3
3	2	8	9	5	4	1	7	6
2	4	7	5	9	3	6	8	1
6	8	9	2	1	7	4	3	5
1	3	5	4	6	8	9	2	7
9	6	1	8	7	5	3	4	2
4	7	2	6	3	9	5	1	8
8	5	3	1	4	2	7	6	9

72

4	5	9	7	3	1	8	6	2
3	2	6	9	5	8	1	7	4
8	7	1	2	4	6	9	5	3
9	1	4	6	2	7	5	3	8
5	8	3	1	9	4	6	2	7
7	6	2	5	8	3	4	9	1
2	9	7	8	1	5	3	4	6
6	3	8	4	7	9	2	1	5
1	4	5	3	6	2	7	8	9

73

6	9	4	3	7	2	5	1	8
8	3	5	1	6	9	2	4	7
2	1	7	5	4	8	6	3	9
1	8	9	2	3	4	7	5	6
5	4	3	7	8	6	9	2	1
7	6	2	9	5	1	4	8	3
4	2	8	6	9	3	1	7	5
3	5	6	4	1	7	8	9	2
9	7	1	8	2	5	3	6	4

74

9	5	3	4	1	6	8	7	2
4	2	8	7	5	3	1	9	6
6	1	7	9	8	2	5	3	4
8	4	5	1	6	9	3	2	7
1	9	2	3	7	5	6	4	8
3	7	6	8	2	4	9	5	1
7	6	9	2	3	8	4	1	5
5	3	1	6	4	7	2	8	9
2	8	4	5	9	1	7	6	3

75

2	8	4	6	9	3	7	1	5
7	9	5	2	8	1	6	4	3
3	1	6	5	7	4	9	8	2
9	6	8	3	2	7	1	5	4
1	5	2	9	4	8	3	6	7
4	3	7	1	5	6	2	9	8
5	2	1	8	3	9	4	7	6
6	4	3	7	1	5	8	2	9
8	7	9	4	6	2	5	3	1

76

8	7	9	5	1	6	3	2	4
3	1	2	7	8	4	5	9	6
4	6	5	2	9	3	1	7	8
1	5	4	8	2	7	9	6	3
6	3	7	4	5	9	8	1	2
2	9	8	3	6	1	7	4	5
7	4	1	6	3	5	2	8	9
9	8	3	1	4	2	6	5	7
5	2	6	9	7	8	4	3	1

77

6	5	3	4	7	8	2	9	1
1	2	7	6	9	3	5	4	8
9	4	8	1	2	5	6	3	7
2	3	9	5	6	1	8	7	4
4	8	5	9	3	7	1	2	6
7	1	6	8	4	2	3	5	9
8	9	2	3	1	4	7	6	5
5	7	4	2	8	6	9	1	3
3	6	1	7	5	9	4	8	2

78

3	2	8	7	4	1	6	9	5
9	5	7	6	3	2	4	1	8
1	4	6	8	9	5	2	7	3
7	1	2	9	8	4	5	3	6
6	9	5	3	2	7	8	4	1
4	8	3	1	5	6	9	2	7
8	7	1	4	6	9	3	5	2
5	3	4	2	7	8	1	6	9
2	6	9	5	1	3	7	8	4

79

3	7	1	9	2	5	8	4	6
6	2	8	3	7	4	1	5	9
5	9	4	6	8	1	2	3	7
2	4	3	1	9	8	7	6	5
7	1	5	2	6	3	9	8	4
8	6	9	5	4	7	3	1	2
4	5	7	8	1	9	6	2	3
1	3	2	7	5	6	4	9	8
9	8	6	4	3	2	5	7	1

80

9	2	4	3	5	6	1	7	8
7	5	1	4	8	2	6	9	3
3	8	6	9	1	7	4	5	2
8	3	9	7	2	1	5	4	6
4	6	2	5	9	3	8	1	7
1	7	5	6	4	8	2	3	9
6	1	7	8	3	4	9	2	5
5	4	3	2	6	9	7	8	1
2	9	8	1	7	5	3	6	4

81

5	8	2	3	4	7	9	6	1
9	6	7	2	1	5	4	8	3
3	4	1	9	6	8	5	2	7
2	7	8	1	3	9	6	5	4
1	5	4	8	2	6	3	7	9
6	9	3	7	5	4	2	1	8
7	1	6	4	9	2	8	3	5
8	2	9	5	7	3	1	4	6
4	3	5	6	8	1	7	9	2

82

9	1	3	5	2	7	4	6	8
4	8	7	1	6	9	5	2	3
2	5	6	8	3	4	9	1	7
5	3	1	9	8	2	7	4	6
6	9	8	4	7	1	3	5	2
7	4	2	3	5	6	8	9	1
1	7	9	2	4	8	6	3	5
3	6	4	7	1	5	2	8	9
8	2	5	6	9	3	1	7	4

83

1	6	8	9	4	2	5	7	3
9	5	7	8	1	3	6	4	2
3	4	2	7	5	6	8	9	1
8	3	9	1	2	5	4	6	7
4	7	6	3	9	8	1	2	5
5	2	1	4	6	7	9	3	8
6	8	5	2	3	4	7	1	9
2	1	4	5	7	9	3	8	6
7	9	3	6	8	1	2	5	4

84

1	4	7	2	6	3	5	8	9
8	5	9	1	7	4	2	6	3
3	2	6	5	9	8	7	4	1
2	3	1	8	5	6	4	9	7
6	9	8	7	4	2	1	3	5
4	7	5	3	1	9	6	2	8
5	8	3	4	2	7	9	1	6
9	1	2	6	8	5	3	7	4
7	6	4	9	3	1	8	5	2

85

1	5	7	9	8	4	2	6	3
3	4	2	1	6	5	9	8	7
8	6	9	2	7	3	5	4	1
5	8	6	4	2	1	3	7	9
9	2	1	7	3	8	4	5	6
7	3	4	6	5	9	8	1	2
6	9	3	5	4	7	1	2	8
4	7	8	3	1	2	6	9	5
2	1	5	8	9	6	7	3	4

86

9	1	6	8	3	2	4	5	7
3	8	5	1	7	4	6	2	9
4	2	7	6	5	9	1	3	8
8	9	2	3	4	6	5	7	1
7	4	1	5	9	8	3	6	2
5	6	3	7	2	1	9	8	4
1	7	4	2	6	5	8	9	3
6	3	8	9	1	7	2	4	5
2	5	9	4	8	3	7	1	6

87

5	3	6	9	8	1	4	2	7
4	7	9	5	6	2	1	8	3
2	8	1	4	3	7	6	5	9
1	4	7	3	5	8	2	9	6
6	9	5	2	1	4	3	7	8
8	2	3	7	9	6	5	4	1
3	5	2	1	7	9	8	6	4
9	6	4	8	2	3	7	1	5
7	1	8	6	4	5	9	3	2

88

7	4	3	1	5	2	8	6	9
9	6	5	8	3	7	2	1	4
2	1	8	4	6	9	3	5	7
6	2	4	7	9	8	1	3	5
3	8	1	2	4	5	7	9	6
5	9	7	6	1	3	4	2	8
8	7	9	5	2	1	6	4	3
4	3	2	9	7	6	5	8	1
1	5	6	3	8	4	9	7	2

89

7	9	2	4	8	3	1	5	6
5	8	1	6	7	2	3	9	4
3	6	4	5	1	9	8	7	2
6	5	8	3	9	4	2	1	7
2	1	9	7	5	8	6	4	3
4	3	7	2	6	1	5	8	9
8	2	6	1	4	7	9	3	5
1	4	3	9	2	5	7	6	8
9	7	5	8	3	6	4	2	1

90

8	9	4	1	3	5	7	2	6
7	3	2	6	8	4	9	1	5
6	1	5	2	7	9	4	8	3
1	6	7	4	2	3	5	9	8
4	2	3	9	5	8	1	6	7
5	8	9	7	1	6	2	3	4
3	5	1	8	4	2	6	7	9
9	7	8	5	6	1	3	4	2
2	4	6	3	9	7	8	5	1

91

1	3	7	4	6	9	8	5	2
2	5	4	1	3	8	9	7	6
8	9	6	2	7	5	1	3	4
3	4	2	6	9	1	5	8	7
7	6	5	8	2	3	4	9	1
9	1	8	5	4	7	6	2	3
4	2	9	7	8	6	3	1	5
6	8	1	3	5	2	7	4	9
5	7	3	9	1	4	2	6	8

92

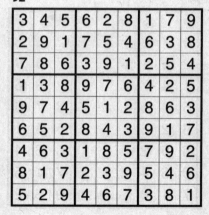

3	4	5	6	2	8	1	7	9
2	9	1	7	5	4	6	3	8
7	8	6	3	9	1	2	5	4
1	3	8	9	7	6	4	2	5
9	7	4	5	1	2	8	6	3
6	5	2	8	4	3	9	1	7
4	6	3	1	8	5	7	9	2
8	1	7	2	3	9	5	4	6
5	2	9	4	6	7	3	8	1

93

4	1	7	2	8	9	6	3	5
5	3	9	1	6	4	8	2	7
2	8	6	7	3	5	9	4	1
7	9	5	3	4	1	2	6	8
3	2	8	9	5	6	7	1	4
6	4	1	8	7	2	3	5	9
8	6	3	5	1	7	4	9	2
1	7	2	4	9	3	5	8	6
9	5	4	6	2	8	1	7	3

94

8	6	3	1	9	2	7	4	5
9	5	4	6	7	3	2	1	8
7	1	2	4	8	5	9	3	6
6	9	8	5	4	1	3	2	7
2	7	1	3	6	9	8	5	4
4	3	5	8	2	7	6	9	1
1	4	9	7	3	8	5	6	2
5	2	7	9	1	6	4	8	3
3	8	6	2	5	4	1	7	9

95

8	1	2	4	7	9	6	5	3
7	4	3	5	6	2	9	8	1
5	9	6	3	8	1	7	4	2
3	5	9	8	1	4	2	7	6
2	8	7	9	5	6	3	1	4
4	6	1	7	2	3	8	9	5
6	2	8	1	9	5	4	3	7
1	7	4	2	3	8	5	6	9
9	3	5	6	4	7	1	2	8

96

9	7	8	5	3	4	1	6	2
1	6	5	2	9	8	7	4	3
4	3	2	6	7	1	9	8	5
6	8	1	4	5	9	3	2	7
2	5	7	1	8	3	6	9	4
3	4	9	7	6	2	5	1	8
5	9	3	8	4	6	2	7	1
8	1	6	3	2	7	4	5	9
7	2	4	9	1	5	8	3	6

97

2	1	9	4	3	6	7	5	8
3	8	4	7	5	2	1	6	9
7	6	5	1	8	9	2	3	4
6	4	7	5	9	3	8	2	1
5	3	8	2	4	1	9	7	6
1	9	2	6	7	8	3	4	5
8	7	6	3	1	4	5	9	2
9	2	3	8	6	5	4	1	7
4	5	1	9	2	7	6	8	3

98

3	5	6	8	9	4	7	2	1
2	1	8	7	3	6	5	9	4
7	4	9	2	1	5	8	6	3
6	2	4	3	7	9	1	5	8
1	8	3	5	6	2	9	4	7
9	7	5	1	4	8	6	3	2
5	3	7	6	2	1	4	8	9
4	6	1	9	8	3	2	7	5
8	9	2	4	5	7	3	1	6

99

8	3	1	5	9	7	2	4	6
5	2	6	1	8	4	7	3	9
4	9	7	6	3	2	8	1	5
3	7	2	9	1	6	5	8	4
1	4	9	8	7	5	6	2	3
6	8	5	4	2	3	1	9	7
7	1	3	2	6	9	4	5	8
2	6	4	3	5	8	9	7	1
9	5	8	7	4	1	3	6	2

100

4	9	1	8	3	6	5	7	2
3	5	2	7	4	1	8	6	9
7	8	6	9	5	2	4	1	3
8	6	7	5	9	4	3	2	1
5	4	9	2	1	3	7	8	6
1	2	3	6	8	7	9	4	5
9	3	4	1	6	8	2	5	7
2	1	8	3	7	5	6	9	4
6	7	5	4	2	9	1	3	8

101

2	7	4	5	1	3	6	8	9
5	9	8	7	6	2	1	4	3
1	6	3	9	8	4	2	7	5
7	3	2	8	9	5	4	1	6
6	4	9	3	2	1	7	5	8
8	5	1	4	7	6	9	3	2
3	2	7	6	4	8	5	9	1
9	1	5	2	3	7	8	6	4
4	8	6	1	5	9	3	2	7

102

4	9	3	2	7	8	6	1	5
5	1	7	6	4	3	2	8	9
8	6	2	5	9	1	3	4	7
2	5	8	9	6	7	1	3	4
7	4	1	3	2	5	9	6	8
6	3	9	8	1	4	5	7	2
1	7	5	4	3	9	8	2	6
3	8	6	7	5	2	4	9	1
9	2	4	1	8	6	7	5	3

103

9	6	3	2	7	4	5	8	1
2	5	8	1	3	6	7	4	9
1	4	7	8	9	5	6	3	2
7	9	2	4	8	3	1	6	5
5	3	1	6	2	7	4	9	8
6	8	4	9	5	1	2	7	3
3	2	5	7	6	8	9	1	4
8	1	6	5	4	9	3	2	7
4	7	9	3	1	2	8	5	6

104

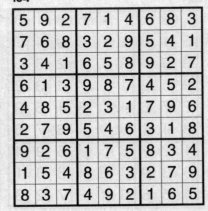

5	9	2	7	1	4	6	8	3
7	6	8	3	2	9	5	4	1
3	4	1	6	5	8	9	2	7
6	1	3	9	8	7	4	5	2
4	8	5	2	3	1	7	9	6
2	7	9	5	4	6	3	1	8
9	2	6	1	7	5	8	3	4
1	5	4	8	6	3	2	7	9
8	3	7	4	9	2	1	6	5

105

2	3	5	8	7	1	6	9	4
9	6	7	4	3	2	8	5	1
1	4	8	6	9	5	2	7	3
4	9	3	5	2	7	1	6	8
8	5	1	9	6	3	4	2	7
6	7	2	1	4	8	9	3	5
7	1	9	2	5	4	3	8	6
3	8	6	7	1	9	5	4	2
5	2	4	3	8	6	7	1	9

106

4	8	7	9	2	5	1	6	3
6	9	2	1	3	4	7	5	8
3	5	1	8	6	7	2	9	4
9	1	3	2	8	6	4	7	5
2	7	6	4	5	1	8	3	9
8	4	5	7	9	3	6	1	2
7	6	9	5	4	8	3	2	1
1	2	4	3	7	9	5	8	6
5	3	8	6	1	2	9	4	7

107

7	6	2	9	4	5	3	1	8
5	1	3	2	8	6	9	4	7
8	9	4	3	7	1	2	6	5
9	5	8	1	6	7	4	3	2
2	7	6	4	3	8	1	5	9
3	4	1	5	9	2	8	7	6
1	2	7	8	5	3	6	9	4
6	3	9	7	2	4	5	8	1
4	8	5	6	1	9	7	2	3

108

2	9	8	4	5	1	3	6	7
3	7	5	8	6	9	2	1	4
1	6	4	7	3	2	9	5	8
5	1	2	3	7	8	6	4	9
6	4	9	1	2	5	8	7	3
8	3	7	9	4	6	5	2	1
7	8	6	2	9	4	1	3	5
9	5	3	6	1	7	4	8	2
4	2	1	5	8	3	7	9	6

109

2	3	8	7	5	4	1	6	9
9	1	4	6	8	2	7	3	5
6	5	7	3	9	1	4	8	2
1	2	6	4	7	8	5	9	3
8	9	3	1	6	5	2	4	7
7	4	5	2	3	9	8	1	6
5	6	9	8	4	7	3	2	1
3	8	1	5	2	6	9	7	4
4	7	2	9	1	3	6	5	8

110

9	3	8	6	1	2	4	5	7
2	7	5	9	3	4	6	1	8
4	1	6	5	7	8	2	9	3
3	6	4	7	5	9	8	2	1
7	9	1	2	8	6	3	4	5
8	5	2	1	4	3	7	6	9
1	4	7	3	6	5	9	8	2
6	2	3	8	9	1	5	7	4
5	8	9	4	2	7	1	3	6

111

5	3	4	7	1	8	9	6	2
9	7	6	3	2	5	1	4	8
1	8	2	9	6	4	7	5	3
2	6	9	1	8	3	4	7	5
3	4	5	2	9	7	8	1	6
7	1	8	5	4	6	2	3	9
6	9	7	8	5	1	3	2	4
4	2	1	6	3	9	5	8	7
8	5	3	4	7	2	6	9	1

112

4	8	1	5	7	2	3	9	6
9	7	3	4	8	6	1	2	5
5	6	2	9	3	1	8	4	7
6	5	9	2	1	7	4	8	3
3	4	8	6	9	5	2	7	1
1	2	7	3	4	8	5	6	9
2	9	6	8	5	3	7	1	4
7	3	4	1	2	9	6	5	8
8	1	5	7	6	4	9	3	2

113

6	8	5	9	3	4	7	1	2
7	1	9	6	8	2	3	4	5
2	3	4	5	7	1	6	8	9
5	9	7	1	2	3	8	6	4
8	2	3	4	9	6	5	7	1
1	4	6	8	5	7	9	2	3
9	7	8	2	1	5	4	3	6
4	5	2	3	6	8	1	9	7
3	6	1	7	4	9	2	5	8

114

5	6	9	3	8	4	1	2	7
7	8	4	6	1	2	9	3	5
3	1	2	5	7	9	4	6	8
8	9	5	7	2	6	3	4	1
6	4	7	1	3	5	2	8	9
2	3	1	9	4	8	5	7	6
1	7	8	2	9	3	6	5	4
9	5	3	4	6	7	8	1	2
4	2	6	8	5	1	7	9	3

115

6	7	5	3	8	1	4	2	9
2	1	4	9	5	7	6	3	8
3	8	9	2	6	4	5	1	7
8	2	1	7	9	6	3	5	4
9	5	3	4	1	8	7	6	2
4	6	7	5	2	3	9	8	1
1	9	8	6	7	5	2	4	3
5	3	2	1	4	9	8	7	6
7	4	6	8	3	2	1	9	5

116

6	1	7	5	3	9	8	4	2
5	3	2	8	4	7	1	6	9
4	8	9	1	6	2	3	7	5
7	2	8	6	9	3	5	1	4
9	5	4	2	1	8	6	3	7
3	6	1	4	7	5	2	9	8
8	9	6	3	2	4	7	5	1
1	7	5	9	8	6	4	2	3
2	4	3	7	5	1	9	8	6

117

4	1	2	8	5	6	7	9	3
5	7	3	1	9	2	6	4	8
6	9	8	7	4	3	1	2	5
3	6	7	5	2	8	4	1	9
2	8	9	4	1	7	3	5	6
1	5	4	6	3	9	2	8	7
8	2	6	9	7	1	5	3	4
9	3	5	2	6	4	8	7	1
7	4	1	3	8	5	9	6	2

118

9	5	3	8	4	1	2	7	6
1	4	7	6	5	2	9	3	8
2	6	8	9	3	7	1	4	5
8	7	4	2	9	3	5	6	1
5	2	6	7	1	8	4	9	3
3	9	1	4	6	5	8	2	7
6	8	5	3	2	4	7	1	9
4	1	9	5	7	6	3	8	2
7	3	2	1	8	9	6	5	4

119

2	4	6	7	8	1	3	9	5
1	9	7	3	6	5	8	4	2
8	5	3	9	4	2	6	7	1
9	8	4	5	7	6	1	2	3
3	6	5	1	2	9	7	8	4
7	2	1	4	3	8	5	6	9
6	1	8	2	9	3	4	5	7
5	7	2	6	1	4	9	3	8
4	3	9	8	5	7	2	1	6

120

2	6	5	1	9	4	7	3	8
7	3	9	8	6	5	4	2	1
8	1	4	7	2	3	6	5	9
6	4	7	9	3	1	5	8	2
1	5	8	2	4	7	3	9	6
3	9	2	5	8	6	1	7	4
4	8	6	3	5	2	9	1	7
5	2	1	6	7	9	8	4	3
9	7	3	4	1	8	2	6	5

121

8	5	3	7	9	1	6	4	2
9	2	6	5	4	8	7	3	1
4	1	7	3	6	2	8	9	5
5	6	4	1	7	3	2	8	9
7	3	9	8	2	4	1	5	6
1	8	2	9	5	6	3	7	4
6	9	5	2	3	7	4	1	8
2	7	8	4	1	9	5	6	3
3	4	1	6	8	5	9	2	7

122

2	1	4	3	7	8	6	9	5
7	5	3	4	6	9	8	2	1
6	8	9	5	1	2	7	3	4
8	3	5	9	2	6	1	4	7
1	9	6	7	4	3	5	8	2
4	7	2	8	5	1	9	6	3
3	2	1	6	8	5	4	7	9
9	4	8	1	3	7	2	5	6
5	6	7	2	9	4	3	1	8

123

7	1	3	5	9	2	8	4	6
6	5	8	1	7	4	9	3	2
2	9	4	6	8	3	1	7	5
8	4	6	9	2	1	7	5	3
3	2	9	7	6	5	4	1	8
1	7	5	4	3	8	2	6	9
5	6	1	8	4	9	3	2	7
9	3	7	2	1	6	5	8	4
4	8	2	3	5	7	6	9	1

124

7	5	4	3	8	1	9	6	2
9	2	1	6	7	4	3	8	5
3	6	8	5	9	2	1	7	4
4	3	6	1	2	8	5	9	7
2	1	9	7	6	5	4	3	8
8	7	5	9	4	3	2	1	6
5	8	7	2	1	9	6	4	3
1	4	3	8	5	6	7	2	9
6	9	2	4	3	7	8	5	1

125

1	6	4	9	5	7	2	8	3
3	8	5	6	2	1	9	7	4
7	2	9	4	3	8	6	5	1
5	3	7	2	8	9	4	1	6
4	1	2	7	6	3	8	9	5
6	9	8	5	1	4	3	2	7
8	4	3	1	9	5	7	6	2
9	5	6	3	7	2	1	4	8
2	7	1	8	4	6	5	3	9

126

8	2	9	4	3	1	6	7	5
5	4	6	9	7	2	3	1	8
1	7	3	8	5	6	9	2	4
3	6	1	7	2	8	4	5	9
7	9	8	1	4	5	2	3	6
4	5	2	6	9	3	1	8	7
2	1	4	5	8	9	7	6	3
9	3	5	2	6	7	8	4	1
6	8	7	3	1	4	5	9	2

127

2	9	1	6	5	7	3	8	4
4	3	5	1	2	8	7	6	9
6	7	8	9	3	4	2	1	5
3	1	9	2	4	6	5	7	8
5	4	2	7	8	1	9	3	6
8	6	7	3	9	5	4	2	1
9	8	6	4	7	2	1	5	3
1	2	3	5	6	9	8	4	7
7	5	4	8	1	3	6	9	2

128

7	2	4	8	6	3	9	1	5
5	3	9	2	1	4	8	7	6
8	1	6	9	7	5	2	3	4
4	5	1	3	2	7	6	8	9
3	8	2	1	9	6	5	4	7
6	9	7	5	4	8	3	2	1
2	6	5	4	8	1	7	9	3
9	4	3	7	5	2	1	6	8
1	7	8	6	3	9	4	5	2

129

6	1	8	5	7	2	3	9	4
3	5	7	6	4	9	8	1	2
9	4	2	3	1	8	7	6	5
1	2	5	4	8	6	9	3	7
7	6	9	2	5	3	4	8	1
8	3	4	1	9	7	2	5	6
4	8	6	9	2	1	5	7	3
5	9	1	7	3	4	6	2	8
2	7	3	8	6	5	1	4	9

130

2	9	8	5	3	1	4	7	6
5	4	7	9	6	8	3	2	1
3	1	6	7	2	4	8	9	5
8	3	5	1	9	2	7	6	4
6	7	4	3	8	5	9	1	2
1	2	9	6	4	7	5	3	8
9	6	1	4	5	3	2	8	7
4	8	3	2	7	6	1	5	9
7	5	2	8	1	9	6	4	3

131

3	1	2	7	4	5	6	8	9
7	8	5	9	1	6	3	4	2
6	4	9	8	2	3	1	7	5
9	5	1	2	6	7	8	3	4
4	3	7	1	9	8	2	5	6
2	6	8	5	3	4	9	1	7
1	7	3	6	5	2	4	9	8
5	9	6	4	8	1	7	2	3
8	2	4	3	7	9	5	6	1

132

9	5	1	3	2	4	6	7	8
6	4	2	8	9	7	3	1	5
8	7	3	5	6	1	2	9	4
2	3	7	4	1	9	8	5	6
5	6	9	7	8	3	1	4	2
4	1	8	6	5	2	9	3	7
3	2	6	1	4	5	7	8	9
1	9	4	2	7	8	5	6	3
7	8	5	9	3	6	4	2	1